© del texto: Joel Franz Rosell, 2012

© de las ilustraciones: Constanze v. Kitzing, 2012

© de esta edición: Kalandraka Ediciones Andalucía, 2012

Avión Cuatro Vientos, 7. 41013 Sevilla
Telefax: 954 095 558
andalucia@kalandraka.com
www.kalandraka.com

Impreso en Gráficas Anduriña, Poio
Primera edición: mayo, 2012
ISBN: 978-84-92608-58-4
DL: SE 2904-2012

MIXTO
Papel procedente de
fuentes responsables
FSC® C104983
www.fsc.org

Joel Franz Rosell

Constanze v. Kitzing

Gatito y el balón

kalandraka

Un día, cuando Gatito
regresó del colegio,
se encontró un bonito balón
delante de su casa.

Gatito miró a su alrededor,
pero no había nadie en la calle,
nadie en el jardín,
nadie en el patio...

Gatito pensó que aquel balón
no era de nadie y lo cogió.

Subió corriendo a su casa,
dejó la mochila
y jugó con el balón
por toda la habitación.

–¿De quién es ese balón? –le preguntó su mamá.

–Es mío.

–¡Vaya! ¿Es un regalo de papá?

–No.

–¿Es un regalo de tu hermano?

–Tampoco.

–¿Es un regalo de tu hermana?

–Pues... no.

–¿De los abuelos?

–Nadie me lo ha regalado –confesó Gatito–.
Lo encontré en la calle... ¡Pero no había nadie!
Estaba abandonado. ¿Puedo quedármelo, verdad?

Mamá sacudió suavemente la cabeza.

–No te lo puedes quedar. Antes tienes que asegurarte
de que estaba realmente abandonado.
Debes preguntar a los vecinos.

Gatito no conocía a nadie en aquel edificio.
Hacía solo tres días que la familia Gato
se había mudado, y le daba vergüenza preguntar.

–Debes averiguar si el balón tiene dueño. Mientras tanto,
no puedes jugar con él –insistió su mamá.

Y lo dijo con su voz de «esto no se discute».

Gatito salió del piso con el balón entre las manos.
No sabía por dónde empezar.

La familia Gato vivía en el cuarto piso,
justo bajo el tejado.
Para hablar con los vecinos,
Gatito debía bajar...

Y precisamente entonces el balón
se le escapó de las manos y se fue
a golpear la puerta del tercer piso.

La puerta se abrió
y apareció Pata.
–¡Qué balón tan bonito!
¿Podemos jugar con él?

–¡Qué más quisiera! –respondió Gatito–.
Pero mamá dice que antes debo averiguar
si pertenece a alguien del edificio.
–Vamos a preguntar en el segundo piso
–propuso Pata.

Gatito y Pata bajaron con el balón y llamaron a la puerta
del segundo piso. La puerta se abrió y apareció Ardilla.

–¡Qué balón tan bonito! ¿Podemos jugar con él?

–¡Qué más quisiera! –respondió Gatito–.
Pero mamá dice que antes debo averiguar
si pertenece a alguien del edificio.

–Vamos a preguntar en el primer piso
–propuso Ardilla.

Gatito, Pata y Ardilla bajaron con el balón
y llamaron a la puerta del primer piso.
La puerta se abrió y apareció Conejo.

–¡Qué balón tan bonito! ¿Podemos jugar con él?

–¡Qué más quisiera! –respondió Gatito–. Pero mamá dice
 que antes debo averiguar si pertenece a alguien del edificio.

–Vamos a preguntar en la planta baja –propuso Conejo.

Gatito, Pata, Ardilla y Conejo bajaron con el balón
y llamaron a la puerta de la planta baja. La puerta no se abrió.
–¡El balón es nuestro! –gritó Gatito–. ¡Al fin podemos jugar!
Y salieron todos al patio.

Pero antes de que pudiesen dar la primera patada,

aparaeció Erizo, el que vivía en la planta baja, y dijo:

–¡Oh, mi balón! ¡Lo habéis encontrado!

Todos miraron con pena cómo lo cogía del suelo y lo abrazaba.

–¡Qué mala suerte! –suspiró Gatito.

–¿Por qué dices «qué mala suerte»? –se extrañó Erizo–.
Habéis encontrado mi balón y ahora podemos jugar todos juntos.

Y aquella tarde se lo pasaron muy bien jugando un gran partido.